Hardy Zürn

Das Remstal

Eher unscheinbar: der Ursprung der Rems bei Essingen im Ostalbkreis. Der Fluss, der dem Remstal den Namen gibt, mündet nach 80 Kilometern in den Neckar.

Rather unremarkable: the source of the Rems near Essingen in the East Alb district. The river after which the Rems Valley is named, flows into the Neckar 80 kilometres further along.

Plutôt discrète, la source de la Rems près d'Essingen dans le Ostalbkreis. La rivière, qui donne son nom à la vallée, se jette dans le Neckar 80 km plus loin.

Hardy Zürn

Das Remstal

The Rems Valley · La vallée de la Rems

Text von · Text by · Texte de
Michael Städele

Deutsch · English · Français

Silberburg-Verlag

Die erste markante und bedeutende Stadt auf dem Weg des Flusses ist Schwäbisch Gmünd mit dem größtenteils von Patrizierhäusern umsäumten Marktplatz.

The first striking and significant town as the river continues its journey, is Schwäbisch Gmünd with its market square, for the most part lined with patrician houses.

La première ville d'importance sur le cours de la rivière, Schwäbisch Gmünd, dont la place du marché est bordée en grande partie de maisons patriciennes.

Blick auf die Altstadt von Schwäbisch Gmünd

View of the old centre of Schwäbisch Gmünd

Vue sur la vieille ville de Schwäbisch Gmünd

Wasserspeier am Gmünder Münster.
Der Bau trägt das Handzeichen von
Peter Parler und ist das bedeutendste
Bauwerk der Gold- und Silberstadt.

Gargoyles on Gmünd Cathedral.
The building bears the mark of Peter
Parler and is the most important
architectural construction in this
gold and silver town.

Gargouille de la cathédrale de Gmünd.
Cet édifice, qui porte la marque de
Peter Parler, est le plus important de
la ville de l'or et de l'argent.

Im Kloster Lorch sind die ersten Staufer-Herzöge beigesetzt. Heute ist hier ein Altenheim untergebracht.

At Lorch monastery the first Staufer dukes are interred. Today this building houses a home for senior citizens.

Les premiers ducs de la dynastie des Staufer sont inhumés dans l'abbaye de Lorch, qui abrite aujourd'hui une maison de retraite.

Der Kreuzgang des Lorcher Klosters   *The cloister of Lorch monastery*   *Le cloître de l'abbaye de Lorch*

7

Die Bahnlinie und die Bundesstraße 29 sind die wichtigsten Verkehrsadern im Remstal – in Ost-West-Richtung und umgekehrt.

The railway line and the main road No. 29, are the most important transportation routes in the Rems Valley—running east-west and vice versa.

La ligne de chemin de fer et la route B 29 sont les deux principaux axes de circulation qui longent la vallée d'est en ouest et viceversa.

Das Alte Rathaus in Plüderhausen, von einem Privatmann aufwändig renoviert und zu einem Restaurant umfunktioniert.

The old town hall in Plüderhausen, renovated by a private individual and converted into a restaurant.

Le vieil hôtel de ville de Plüderhausen a été restauré par un particulier et transformé en restaurant.

Auch die Kleinen lockt's in den Plüderhäuser Badesee, der sich bei Besuchern aus nah und fern großer Beliebtheit erfreut.

Also attractive for little children to swim in, the lake at Plüderhausen, which is highly popular among the locals as well as visitors from afar.

Petits et grands, venus d'ici et d'ailleurs, apprécient les baignades dans le lac de Plüderhausen.

Ruhig fließt sie, die Rems bei Urbach.
Bei Hochwasser sieht das ganz anders
aus. Da verwandelt sich das Flüsschen
in einen reißenden Fluss.

Gently she flows, the Rems at Urbach.
In times of high water or floods
the situation is completely different.
The tiny little stream is transformed
into a turbulent river.

La Rems coule paresseusement près
d'Urbach. Il en va tout autrement
pendant les crues où le petit cours
d'eau devient un torrent.

RATHAUS

Das Urbacher Rathaus. Hier wurde 2001 die Verwaltung der ehemals selbstständigen Gemeinden Ober- und Unterurbach zusammengelegt.

Urbach town hall. Here, in 2001, the administration of the once autonomous communities of Upper and Lower Urbach were merged.

La mairie d'Urbach où sont regroupés depuis 2001 les services administratifs d'Oberurbach et Unterurbach, communes autrefois independantes.

Die evangelische Afrakirche in Urbach
ist von 1509 bis 1512 als spätgotische
Chorseitenturmanlage erbaut worden.

The Protestant church Afrakirche
in Urbach was built in the years
between 1509 and 1512 in a Late
Gothic construction with the tower
built on side of the quire.

Construite entre 1509 et 1512 en
gothique flamboyant, l'église protestante « Afrakirche » à Urbach est un
édifice à tour latérale donnant sur
le chœur.

Im Jahr 1851 war der Weinbau noch die »Haupternährungsquelle« in Urbach, wie es in einer Oberamtsbeschreibung heißt. Urbach war die größte Weinbaugemeinde im gesamten Remstal – heute nicht mehr vorstellbar. Als Reminiszenz an diese Zeit hat die Gemeinde im »Linsenberg« 99 Rebstöcke sezten lassen. 99 deshalb, weil 100 genehmigungspflichtig gewesen wären.

In the year 1851 wine-growing was still the "main source of nourishment" in Urbach, as it is documented in a bailiff's records. Urbach was the biggest wine-growing community in the whole of the Rems Valley—today, no longer imaginable. In memory of these bygone days, the council has planted 99 vines in "Linsenberg"; exactly 99 because they would have had to have 100 officially approved.

En 1851, la viticulture était encore la principale « source » de revenus d'Urbach, comme nous l'indique un document de l'époque. Qu'Urbach ait été la plus grande commune viticole de toute la vallée de la Rems est aujourd'hui à peine imaginable. En souvenir de cette époque, la commune a fait planter 99 pieds de vigne sur le « Linsenberg ». 99 seulement car, à partir de 100, une autorisation aurait été nécessaire.

*Der Marktbrunnen und das
Rathaus der Daimlerstadt*

*The market fountain and town hall
in the home of Daimler*

*La fontaine du marché et la mairie
de la ville natale de Daimler*

*Das Schorndorfer Heimatmuseum
und die Stadtkirche*

*Schorndorf town museum and
municipal church*

*Le musée d'histoire locale de
Schorndorf et l'église*

Ein witziges Häuschen im Herzen Schorndorfs. Es ist nicht das einzige Fachwerkhaus dieser Art, das bei einem Gang durch die Altstadt zu finden ist.

A funny little house in the heart of Schorndorf. It is not the only halftimbered house of its kind to be discovered on a stroll through the old part of town.

Cette maisonnette amusante au cœur de Schorndorf n'est pas la seule maison à pans de bois que l'on rencontre en flânant dans la vieille ville.

Das Schorndorfer Burgschloss   *Schorndorf Castle*   *Le château de Schorndorf*

Der berühmteste Sohn Schorndorfs ist Gottlieb Daimler. Sein Geburtshaus in der Höllgasse ist heute Museum.

The most famous son of Schorndorf is Gottlieb Daimler. Today, the house in which he was born, in the Höllgasse, is a museum.

Le plus célèbre enfant de Schorndorf est Gottlieb Daimler. Sa maison natale dans la Höllgasse abrite aujourd'hui un musée.

Glaskunst an der Schorndorfer
Künkelinhalle. Sie ist benannt nach
Barbara Künkelin, 1688 Anführerin der
berühmten »Schorndorfer Weiber«, die
die Stadt vor den Franzosen retteten.

Glass art in Künkelin Hall, Schorndorf.
This hall is named after Barbara
Künkelin, who, in 1688, was the leader
of the famous group of women, known
as the "Schorndorfer Weiber", who
saved the town from the French.

Vitraux dans la célèbre Künkelinhalle
de Schorndorf. Cette salle porte le
nom de Barbara Künkelin qui, à la tête
du célèbre groupe des « femmes de
Schorndorf », sauva la ville des Français
en 1688.

Die Arnold-Galerie in Schorndorf – neue Geschäftspassage in einem ehemaligen Fabrikgebäude.

The Arnold Gallery in Schorndorf—new business arcade in a former factory building.

La Galerie Arnold de Schorndorf, une galerie marchande moderne installée dans les locaux d'une ancienne usine.

Das Remswehr bei Schorndorf

The Rems weir at Schorndorf

Barrage de la Rems près de Schorndorf

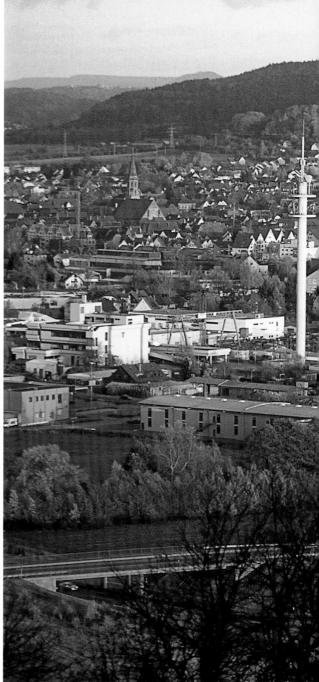

*Das Industriegebiet »Siechenfeld«,
der Schorndorfer Stadtkern und
der Schurwald*

*The industrial area "Siechenfeld",
the centre of Schorndorf and the
forest Schurwald*

*La zone industrielle « Siechenfeld »,
le centre de Schorndorf, et la forêt
« Schurwald »*

Der Schorndorfer Stadtteil Weiler, ein-
gebettet in Felder, Wald und Wiesen.

Weiler, which is a part of Schorndorf,
embedded in fields, woods and meadows.

« Weiler », un quartier de Schorndorf
niché au milieu des champs, forêts et
prairies.

In Winterbach fährt der Zug mitten durch den Flecken.

In Winterbach the train cuts right through the town.

A Winterbach, le train passe au beau milieu du hameau.

Graffiti an einer Scheune vor einem Winterbacher Betrieb

Graffiti on a shed in front of a factory in Winterbach

Graffiti sur une grange devant une entreprise de Winterbach

23

Blick von Süden auf Winterbach

View from the south towards
Winterbach

Vue du sud sur Winterbach

Das Schloss im Winterbacher Teilort Engelberg, seit 1959 Sitz der Freien Waldorfschule

The castle in a part of Winterbach known as Engelberg—since 1959, location of the Rudolf Steiner children's educational institution "Freie Waldorfschule"

Le château d'Engelberg, commune associée de Winterbach, où se trouve une école Waldorf depuis 1959

Blick auf Rohrbronn oder auf den
»Schneckabuckl«, wie die Rohrbronner
sagen.

View of Rohrbronn or of the
"Snail's Back"—"Schneckabuckl",
to the people of Rohrbronn.

Vue sur Rohrbronn ou « Schneckabuckl »,
comme l'appellent les habitants.

Das Weraheim in Hebsack – ein
Waisenhaus

Weraheim in Hebsack—an orphanage

Le foyer de Wera à Hebsack,
un orphelinat

Im »Museum im Hirsch« in Buoch sind früher, als es noch ein Gasthaus war, prominente Gäste abgestiegen, zum Beispiel Baden-Württembergs erster Ministerpräsident Reinhold Maier.

When it used to be an inn, the "Museum im Hirsch" in Buoch was frequented by prominent guests, for example, Baden-Württemberg's first Prime Minister Reinhold Maier.

A Buoch, l'ancienne auberge «Zum Hirsch», aujourd'hui transformée en musée, a accueilli des clients célèbres comme Reinhold Maier, premier chef du gouvernement du Land Bade-Wurtemberg.

Sie sind inzwischen zwar rar, aber es gibt sie noch: die echten Besenwirtschaften wie hier bei den Franks in Buoch.

They have now become rare, but they do still exist: the original wine-rooms or "Besenwirtschaften", that are only open in season, like this one here at the Franks in Buoch.

Elles se font de plus en plus rares, mais il arrive qu'on en déniche une, comme ici chez la famille Frank à Buoch : une vraie « Besenwirtschaft », auberge tenue par un viticulteur.

*Die evangelische Konradskirche
in Geradstetten*

*Die Protestant church Konradskirche
in Geradstetten*

*L'église protestante « Konradskirche »
à Geradstetten*

*Die Hauptstraße in Geradstetten. Links
steht das Haus eines Mannes, der über
die Grenzen des Remshaldener Teilorts
hinaus bekannt ist: Helmut Palmer,
Bürgerrechtler, Remstalrebell oder wie
immer man ihn nennen will.*

*The high street, Geradstetten. To the
left is the home of a man who is
well-known beyond the borders of
the Geradstetten neighbourhood of
Remshalden: Helmut Palmer, fighter
for civil rights, Rems Valley rebel or
whatever name you wish to give him.*

*La rue principale de Geradstetten.
A gauche, la maison d'un homme
connu au-delà de cette commune
associée de Remshalden : Helmut
Palmer, militant pour les droits
civiques ou, si l'on préfère,
« Rebelle de la Vallée de Rems ».*

Eine Schnapsbrennerei in Geradstetten

A spirits distillery in Geradstetten

*Une distillerie d'eau de vie
à Geradstetten*

Die evangelische Kirche und der Ortskern von Grunbach

Die Protestant church and the town centre of Grunbach

L'église protestante et le centre-bourg de Grunbach

Weinbautradition in Holz geschnitzt: ein farbenprächtiges Bild am Ortseingang

Wine-growing tradition carved in wood: a colourful depiction as you enter the town

La tradition viticole sculptée dans le bois : une image haute en couleur à l'entrée du village

*Auch das gibt's im Remstal:
ein rauchendes Backhäusle
vor der Kirche*

*Also to be found in the
Rems Valley: smoke coming
from a little baking house
in front of the church*

*Remstal nous réserve d'autres
surprises : devant l'église,
un four à pain fumant*

Pfarrhaus und Stiftskirche in
Beutelsbach

Parsonage and collegiate church in
Beutelsbach

Presbytère et collégiale à Beutelsbach

Der Stiftshof in Beutelsbach

Part of the former monastery in Beutelsbach

Le « Stiftshof » ancienne ferme de monastère à Beutelsbach

Der » grüne Kirbe-Jahrgang «, also der jüngste, zieht von Wirtschaft zu Wirtschaft – eine Tradition in Beutelsbach.

The Beutelsbach tradition "grüne Kirbe-Jahrgang", which entails the tradition of the youngest doing a pub crawl.

A Beutelsbach, la tradition veut que la plus jeune promotion de la kermesse, la « grüne Kirbe-Jahrgang » aille d'auberge en auberge.

So schön kann die ansonsten im Remstal umstrittene Stromleitung sein: Die
Launen der Natur machen's möglich.

Electricity lines, otherwise subject of
controversy in the Rems Valley, can
also be beautiful: It is the moods of
nature that makes this possible.

Dans la vallée de la Rems, les installa-
tions électriques si décriées peuvent
prendre un tout autre visage, par un
simple caprice de la nature.

Blick auf Beutelsbach vom Landgut Burg aus

View of Beutelsbach from the estate Landgut Burg

Vue sur Beutelsbach, à partir du Domaine Burg

Die Ernte steht bevor:
Reif hängen die Trauben am Stock.

Ripe for harvest:
grapes hang heavy on the vines.

Les grappes de raisin mûres
annoncent la saison des vendanges.

Es herrscht Hochbetrieb im Wengert:
Die Lese hat begonnen.

Hustle and bustle in vineyards:
The wine harvest has begun.

L'activité bat son plein dans le vignoble,
les vendanges ont commencé.

*Leichter als von Hand
geht's mit dem Vollernter.*

*It's easier with the fully
automatic harvester than
it is working by hand.*

*Il est plus facile de vendanger
à la machine pu'à la main.*

*Größter Weinvermarkter der Region:
die Remstalkellerei*

*The biggest wine merchants of the
region: the Rems Valley Wine Cellars*

*Le plus grand négociant en vin
de la région, la Cave Coopérative
de la vallée de Rems*

Auch Keltern prägen das Remstal, zum Beispiel die in Schnait.

Winepresses are also characteristic of the Rems Valley, for instance, this one in Schnait.

Les pressoirs aussi font partie de l'atmosphère de la Vallée de la Rems : ici, à Schnait.

Beschaulich – nicht nur zur Winterszeit: eine Seitengasse in Schnait

Contemplative—not only in winter: a small side lane in Schnait

Pittoresque, mais pas seulement en hiver, une paisible ruelle de Schnait

Das Geburtshaus von Friedrich Silcher (1789–1860)
in Schnait ist heute Museum.

The house in Schnait where Friedrich Silcher
(1789–1860) was born—today it is a museum.

A Schnait, la maison natale de Friedrich Silcher
(1789–1860) a été reconvertie en musée.

Eine Bauernstube im Silchermuseum

A farmhouse room in the Silcher Museum

Une pièce de ferme dans le
« Silchermuseum »

Das Schloss in Schnait war zeitweise Sitz der Herren von Gaisberg.

The castle in Schnait was for a time the seat of the lords of Gaisberg.

Le château de Schnait fut pendant un certain temps le siège des seigneurs de Gaisberg.

*Dieser Fußgängersteg über die Rems
bei Großheppach hat ausgedient.*

*This little footbridge over the Rems
near Großheppach has served its time.*

*Ce passage pour piétons, au dessus de
la Rems, a fait son temps.*

*Reben, so weit das Auge reicht:
zartes erstes Grün im Wengert,
Frühling bei Großheppach*

*Vines, as far as the eye can see:
the first fine shades of green in the
vineyard, spring near Großheppach*

*La vigne à perte de vue : les
premières pousses vert tendre,
printemps à Großheppach*

Das Rathaus in Großheppach

The town hall in Großheppach

La mairie de Großheppach

Die Häckermühle in Großheppach stammt aus dem Jahr 1601. Heute besteht hier ein Restaurant.

The mill "Häckermühle" in Großheppach dates back to the year 1601. Today there's a restaurant here.

Aujourd'hui restaurant, le moulin « Häckermühle » de Großheppach date de 1601.

Landwirtschaftliche Ortsrandidylle
in Großheppach

*Idyllic agricultural scenery on
the outskirts of Großheppach*

*Idylle champêtre aux abords
de Großheppach*

47

Blick vom Kleinheppacher Kopf ins
Remstal und auf den Schurwald

View from Kleinheppacher Kopf
over the Rems Valley and up to
the forest Schurwald

Vue du Kleinheppacher Kopf
vers la Vallée de la Rems et
la forêt « Schurwald »

Wengerterbrunnen in Kleinheppach

Winegrowers' fountain or
"Wengerterbrunnen" in Kleinheppach

La « Wengerterbrunnen » fontaine
des vignerons à Kleinheppach

Gleitschirmflieger unter dem
Kleinheppacher Kopf

Para-glider under Kleinheppacher Kopf

Saut en parapente sous la
« Kleinheppacher Kopf »

Kalte Winterluft, klare Sicht und leuchtende Farben: Blick auf Strümpfelbach im Januar

Cold wintry air, a clear view and vibrant colours: Strümpfelbach in January

Air clair et froid de l'hiver, couleurs éclatantes : vue sur Strümpfelbach en janvier

Die Geschäftsstelle der »Remstal-Route« im ehemaligen
Endersbacher Bahnhofsgebäude

The offices of "Remstal-Route" in the former railway station
in Endersbach

Dans l'ancien local de chemin de fer d'Endersbach, les bure-
aux du « Remstal-Route », l'office de tourisme de la vallée

Weinfeste haben im
Remstal Tradition.
Das größte ist das
Weinstadt-Weindorf
in Beutelsbach.

Wine festivals are a
tradition in the Rems
Valley. The biggest of its
kind is the Weinstadt-
Weindorf in Beutelsbach.

Les fêtes du vin sont
une tradition dans la
Vallée de la Rems.
La plus importante est
le Weinstadt–Weindorf
de Beutelsbach.

Wengerter-Relief über dem
Eingang des alten Endersbacher
Rathauses

Relief of winegrowers, the
"Wengerter-Relief", above the
entrance of the old Endersbach
town hall

Bas-relief « Wengerter–Relief »
montrant des vignerons au dessus de l'entrée de l'ancienne
mairie d'Endersbach

Die »Rialtobrücke«, eine dreibogige
steinerne Remsbrücke aus den Jahren
1825/26 bei Beinstein. In den siebziger
Jahren wurde sie durch einen Neubau
ersetzt.

The "Rialto Bridge", a triple-arched
stony bridge spanning the Rems, built
in the years 1825/26, near Beinstein. In
the 70s it was replaced by a new
bridge.

Prés de Beinstein, le « Pont Rialto »
construit en pierre en 1825/26, et
comptant trois arches, a été remplacé
dans les années 70 par une construction neuve.

Das Rathaus in Beinstein

The town hall in Beinstein

La mairie de Beinstein

Steinreinach am Fuße herbstlicher
Weinberge und das Industriegebiet
von Korb

*Steinreinach, at the foot of autumnal
vineyard slopes, and the industrial
area of Korb*

*Steinreinach sur fond de vignoble
aux couleurs de l'automne, et
la zone industrielle de Korb*

Das Korber Rathaus zeigt sich
vorne mit Fachwerk ...

Korb town hall, presents itself,
half-timbered, from the front ...

La façade de la mairie de Korb
est à pans de bois ...

... und hinten mit einem
modernen Glasanbau.

... and from the back—
modern and glass-clad.

... et l'arrière présente
une extension moderne en verre.

Die Skulptur des Künstlers Fritz Nuss
und die rastenden Wanderer blicken
auf Strümpfelbach.

The sculpture of the artist Fritz Nuss
and hikers, resting a while, look down
over Strümpfelbach.

Sculpture de l'artiste Fritz Nuss
et randonneurs contemplant
Strümpfelbach.

Der modernen Verkehrsführung
getrotzt hat das Rathaus in
Strümpfelbach– die Durchgangsstraße
wurde »drumrum« gebaut.

Strümpfelbach town hall has defied
recent traffic planning measures—the
through road has been built around it.

La mairie de Strümpfelbach a résisté
à l'assaut des voies modernes de
circulation : la route a contourné
l'édifice.

*Selten zu sehen: Klinker und Streifen
der Bettwäsche fast Ton in Ton*

*A rare sight: clinker and stripes on
bedding, almost of the same tone*

*Une image insolite : briques et rayures
des draps de lit, presque ton sur ton*

*Ganz ohne Strom:
Die Sonne bringt's zum Leuchten.*

*Totally without electricity—sunlight
alone is responsible for the glow.*

*Belle illumination due au Dieu
soleil et non à la fée électricité.*

Der Weinort Stetten im Remstal ...

The wine town
Stetten im Remstal ...

La commune viticole de
Stetten im Remstal ...

... und sein Wahrzeichen, die Y-Burg, ehemaliger Sitz der Herren von Stetten, 1241 erstmals urkundlich erwähnt

... and its distinguishing mark—the Y-Burg, former seat of the lords of Stetten, first mentioned in documents in 1241

... et son emblème, le château d'Y ancien siège des seigneurs de Stetten, mentionné pour la première fois en 1241

Spielen eine große Rolle im Remstal:
das Mostobst ...

Play a big rôle in the Rems Valley:
apples ...

Trés importantes pour la vallée :
les pommes pour le « most »
(genre de cidre) ...

... und die Erdbeeren

... and strawberries

... et les fraises

Römisches Relikt in Rommelshausen:
die »villa rustica«

*Roman relic in Rommelshausen:
the "villa rustica"*

*A Rommelshausen, la « villa rustica »,
vestige de l'époque romaine*

Der moderne Gegensatz: die Spiegelung
von Kirche und altem Gebäude in der
Glasfassade eines Hauses im Ortskern
von Rommelshausen

*Modern contrast: the reflection of the
church and an old building in the glass
façade of a house in the centre
of Rommelshausen*

*Contraste moderne : reflet de l'église et
d'un vieil édifice dans la façade en
verre d'un bâtiment moderne, au centre
de Rommelshausen*

Ein Teil von Rommelshausen mit der »Korber Höhe«, einem Stadtteil von Waiblingen, im Hintergrund

A part of Rommelshausen and in the background the heights "Korber Höhe", belonging to Waiblingen

Vue sur une partie de Rommelshausen avec, en arrière-plan, sur les hauteurs, la « Korber Höhe », un quartier de Waiblingen

Der Rathausinnenhof in Fellbach

The inner courtyard of Fellbach town hall

*La cour intérieure de la mairie de
Fellbach*

Musikschule und Schwabenlandhalle in Fellbach

Music school and Schwabenland Hall in Fellbach

L'école de musique et la salle de Schwabenland à Fellbach

Die Fellbacher Genossenschafts-
kelter von außen ...

The Fellbach co-operative winepress
society, from the exterior ...

La cave coopérative de Fellbach,
vue de l'extérieur ...

... und von innen: der Holzfasskeller

... and the interior: the cellar for storing
wooden barrels

... et de l'intérieur : la cave aux tonneaux

Die Bundesstraße 14 zwischen Fellbach und Waiblingen lässt immer noch genügend Platz für grüne Inseln.

The main road No. 14 between Fellbach and Waiblingen, always allowing enough space for green isles.

La route B 14 qui mène de Fellbach à Waiblingen ménage suffisamment d'îlots de verdure.

Wochenmarkt und Straßencafé im
Herzen von Waiblingen

Weekly market and street café in the
heart of Waiblingen

Marché hebdomadaire et terrasse
de café dans un rue au cœur de
Waiblingen

Das Waiblinger Bädertörle

*One of the gates of
Waiblingen, "Bädertörle"*

*Le « Bädertörle », ancienne
porte de Waiblingen*

71

Die Waiblinger Michaelskirche außen ...

The Waiblingen church Michaelskirche, exterior ...

La « Michaelskirche » de Waiblingen vue de l'extérieur ...

... und innen

... and interior

... puis de l'intérieur

Waiblingen ist auch geprägt von Türmen.
Zum Beispiel vom Hochwachtturm ...

Waiblingen is also characterised by towers.
For example, by the high watch-tower ...

La silhouette de Waiblingen est marquée
par de nombreuses tours dont cette tour
de guet : la « Hochwachtturm » ...

... und vom Beinsteiner Torturm, der früher Säuturm hieß, weil durch ihn die Schweine in die Stadt getrieben wurden. Alle Türme waren Teile der Stadtmauer.

... and by the Beinstein gate-tower, formerly known as Sow Tower or "Säuturm" because through its gates pigs were driven into town. All the towers here were once part of the town wall.

... et la tour de Beinstein, aux portes de la ville, autrefois nommée « Säuturm » (tour des porcs) car c'est par là que l'on faisait entrer les cochons dans le bourg. Toutes les tours faisaient partie du mur d'enceinte.

Öffentliche Gebäude in Waiblingen:
das Rathaus ...

Public buildings in Waiblingen:
the town hall ...

Bâtiments publics de Waiblingen :
la mairie ...

... und das Landratsamt

... and the district authorities

... et l'administration régionale

Das Nonnenkirchle in Waiblingen

The church Nonnenkirchle
in Waiblingen

L'église « Nonnenkirchle »
de Waiblingen

Impression vom Waiblinger Friedhof

An impression of Waiblingen cemetery

Impressions du cimetière de Waiblingen

Das Museum der Stadt Waiblingen gibt auch Einblicke in die Bauweise früherer Jahrhunderte.

Waiblingen town museum offers its visitors a glance at architecture of past centuries.

Le musée de la ville de Waiblingen témoigne de la manière de bâtir des siècles passés.

*Das Bürgerzentrum in Waiblingen
bei Nacht*

*Waiblingen citizens' centre,
by night*

*Le centre culturel de Waiblingen,
la nuit*

Das Remswehr beim Wasen in Waiblingen

The Rems weir near Wasen in Waiblingen

*Le barrage de la Rems près de Wasen,
à Waiblingen*

*Die Hahnsche Mühle in Waiblingen,
heute Technikmuseum für Wasserkraft*

*The mill Hahnsche Mühle in
Waiblingen—today, a technical
museum for hydraulic power*

*Le moulin « Hahnsche Mühle »,
à Waiblingen, aujourd'hui musée
technique sur l'énergie hydraulique*

Häuser auf der Mauer, direkt an der
Rems bei Waiblingen

Houses on the wall, directly upon the
banks of the Rems in Waiblingen

Des maisons situées sur l'enceinte,
tout au bord de la Rems à Waiblingen

Eine Remsbrücke als Verbindung
zwischen der großen und der kleinen
Erleninsel

A bridge over the Rems, linking the big
and small Erlen Islands

Pont sur la Rems entre la petite et la
grande « Erleninsel » (Îles des Aulnes)

Biotop in der Talaue beim
Waiblinger Hallenbad

Biotope in the valley meadow near
Waiblingen indoor pool

Biotope dans la vallée, près de la
piscine couverte de Waiblingen

Dank des Vereins »Ghibellinia« hat der
Rudersport in Waiblingen seit 1920
Tradition.

Thanks to the society "Ghibellinia",
rowing, as a sport, has a tradition in
Waiblingen since 1920.

L'aviron, sport traditionnel
à Waiblingen depuis 1920,
grâce au club « Ghibellinia ».

Väterchen Frost führt auf dem
Talauensee Regie.

Father Frost takes command over the
lake in the river meadows.

Le bonhomme hiver règne
sur le lac Talaue.

Frühnebel über Flur und Dorf

Early morning fog over fields, meadows and village

Brume matinale sur champs et village

*Das Römerbrückle zwischen Neustadt
und Hohenacker*

*The bridge Römerbrückle between
Neustadt and Hohenacker*

*Le « Römerbrückle » petit pont romain
entre Neustadt et Hohenacker*

Zwischen Neustadt und der Rems
liegt fast versteckt das Hauptwerk
der weltbekannten Firma Stihl.

Almost hidden, between Neustadt and
the Rems lies the factory headquarters
of the world famous company Stihl.

Entre Neustadt et la Rems,
à demi caché, on aperçoit l'unité
de production principale de Stihl,
entreprise mondialement connue.

Das Bahnviadukt zwischen Neustadt
und Kleinhegnach spannt sich über
das Remstal.

The railway viaduct between Neustadt
and Kleinhegnach spans the Rems.

Le viaduc ferroviaire entre Neustadt
et Kleinhegnach surplombe ici la Rems.

Bei Remseck-Neckarrems
mündet die Rems in den Neckar.

At Remseck-Neckarrems
the Rems flows into the Neckar.

La Rems se jette dans le Neckar
à Remseck-Neckarrems.

Das Remstal

Zwischen Wäldern, Weinbergen und »Wirtschäftle«

Vor den Toren Stuttgarts liegt das Tal, dem der Fluss Rems den Namen gibt. Rund 80 Kilometer lang ist sie, die Rems, die östlich von Schwäbisch Gmünd entspringt und nördlich von Stuttgart in den Neckar mündet. Vor allem zwischen Schorndorf und Waiblingen ist ihr Tal auch ein beliebtes Ausflugsziel, sei es im Frühjahr bei der Kirschbaumblüte, sei es im Herbst, wenn das Weinlaub bunt leuchtet.

Jahrhundertelang trafen in dieser Region Verwaltungsgrenzen aufeinander, Nachbildungen der Limes-Wehrtürme sowie alte römische Ausgrabungen erinnern noch heute daran. Das Remstal – es wird nicht zu Unrecht auch als »schwäbische Toskana« bezeichnet – ist das Naherholungsgebiet der Stuttgarter (und anderer), die in den Weinbergen wandern, in den Badeseen schwimmen und in den zahlreichen traditionellen Weinstuben einkehren. Weinberge prägen den Teil des Remstals, der östlich von Stuttgart beginnt und bei Schorndorf endet. Ab da geht das Remstal in eine Wald- und Wiesenlandschaft über.

Mit dem Remstal verbindet jeder etwas anderes – das macht seine Vielfalt aus. Der eine erfreut sich an der Natur mit ihren zu jeder Jahreszeit unterschiedlichen, aber immer reizvollen Facetten. Der andere hat die prächtigen Fachwerkstädte wie Schwäbisch Gmünd (hier kommen noch sehr gut erhaltene Patrizierhäuser am Marktplatz hinzu), Schorndorf oder Waiblingen im Kopf. Wieder andere denken in erster Linie an den Wein, der im Remstal wächst.

Und es gibt nicht wenige, die mit dem Remstal Geschichte verbinden. Nicht zu Unrecht, stand doch in Beutelsbach die Wiege der württembergischen Herrscher. Und ganz in der Nachbarschaft ist auch der Ursprung des staufischen Herrschergeschlechts – nachzuspüren im Kloster Lorch, jenem bedeutenden Bau, der auf einem Berghügel oberhalb des Flusses regelrecht trohnt und die Grablege einiger staufischer Herrscher ist, und natürlich auf ihrem nicht allzu weit entfernten »Hausberg«, dem Hohenstaufen.

Das Remstal: Für viele beginnt es Richtung Stuttgart erst in Schorndorf, vielleicht auch schon in Plüderhausen. Aber da hat der Fluss, der zu den bedeutendsten des Landes zählt, bereits eine ganz schöne Strecke hinter sich gebracht. Er entspringt nämlich am Fuß des Albuchs, in der Nähe des Ortes Essingen. Die Quelle ist eher unscheinbar. Das Tal beginnt auf der kargen Ostalb, ist zunächst breit. Viele werden bei seinem Anblick etwas an die weiten Wiesenlandschaften des Allgäus erinnert.

Dramatische Akzente setzt am Oberlauf der steil aufragende Rosenstein bei Heubach. Wenig später tauchen die drei Kaiserberge Hohenstaufen, Rechberg und Stuifen auf. Erster »Höhepunkt« ist die Stauferstadt Schwäbisch Gmünd mit dem von Peter Parler erbauten Münster (erste spätgotische Hallenkirche Deutschlands) und vielen anderen Sehenswürdigkeiten wie zum Beispiel die spätromanische Johanniskirche mit ihrem schiefen Turm, der die Besonderheit

hat, im unteren Bereich viereckig zu sein und dann achteckig zu werden. Gmünd galt auch als Gold- und Silberstadt – dieser Glanz von einst ist in den letzten zwei Jahrzehnten aber immer mehr verblichen. Die wirtschaftlichen Verhältnisse haben den zahlreichen Schmuckfabriken den Garaus gemacht.

Die heimliche Hauptstadt des Remstals ist Schorndorf, wo der Autopionier Gottlieb Daimler 1834 das Licht der Welt erblickte. Sein Geburtshaus ist heute Museum. Außerdem sehenswert: der Marktplatz mit stattlichen Fachwerkhäusern aus dem 17. und 18. Jahrhundert, das Burgschloss sowie die spätgotische Stadtkirche. Im Herzen der Daimlerstadt versteckt sind sie dann erstmals zu finden: die heimeligen Wirtschäftle, auch liebevoll »Boiz« genannt. Auf sie stößt man im weiteren Verlauf des Flusses bis zu seiner Mündung in den Neckar bei Remseck immer öfter.

In der bei Schorndorf beginnenden Weingegend liegen einige bekannte und romantische Weindörfer wie Strümpfelbach (Rathaus aus dem Jahr 1591, Fachwerkhäuser, Bildhauer-Museum von Fritz und Karl-Ulrich Nuss), Schnait (Wendelinskirche mit Schnitzaltar, Silcher-Museum), Beutelsbach (Stiftskirche, Remstal-Kellerei), Hebsack (evangelische Kreuzkirche mit Hochaltar von 1512), Grunbach oder Korb. Die Weinberge, schwäbisch »Wengert«, haben hier die Wiesenlandschaft mit Baumwiesen und die Äcker abgelöst, beziehungsweise es gibt sie nicht mehr – auch eine Folge der zunehmenden Industrialisierung, der Schaffung von Wohnraum mit der damit zusammenhängenden Versiegelung der Landschaft. Bekannten Weinsorten wie Trollinger,

Riesling oder Silvaner begegnet man auf Schritt und Tritt. In den letzten Jahren sind neuere wie Regent, Zweigelt und Chardonnay hinzugekommen.

Die Kreisstadt Waiblingen, Sitz der Rems-Murr-Kreisverwaltung, bietet ein mittelalterliches Stadtbild mit Wehrgängen und Wehrtürmen. Nikolaus- und Michaelskirche legen Zeugnis ab von weltlicher und kirchlicher Geschichte.

Waiblingen hat gleich zwei Kaisergeschlechtern – Staufer und Salier – Prägung und Namen gegeben. Darf man den Geschichtsschreibern des 12. und 13. Jahrhunderts Glauben schenken, wurden die Salier-Kaiser Konrad II. und Heinrich IV. in Waiblingen geboren.

Das Remstal, begrenzt auf der Südseite vom Schurwald, auf der Nordseite vom beginnenden Bergland des Schwäbisch-Fränkischen Waldes, bietet kurz vor seiner Mündung in den Neckar bei Remseck eine idyllische Flussmäander- und Mühlenlandschaft, die auf weiten Strecken noch naturbelassen und frei von Lärm ist. Ideal zum Wandern (im gesamten Tal sind rund 120 Wanderwege angelegt) und ganz besonders zum Fahrradfahren für den, der's ruhig mag und viel Gegenverkehr alles andere als liebt. Nebenbei bemerkt: Im gesamten Remstal sind über 800 Kilometer Radwege ausgeschildert.

Das Remstal zählt zu den ältesten Obstbaugebieten Baden-Württembergs. Schon die Römer wussten das Tal zu schätzen: Bei Lorch steht ein nachgebauter Wachtturm des Limes und gibt Zeugnis von der Anwesenheit der Vasallen des Augustus und seiner Nachfolger. Sie nutzten das milde Klima für Obst- und Weinanbau und ließen sich hier nieder, wie auch die Gutshöfe und Töpfereien in Rommelshausen und Waiblingen bezeugen. Vor den Römern siedelten hier die Kelten, die sich später aber hinter den bereits erwähnten Limes zurückziehen mussten, jedoch auch ihre Spuren hinterließen, so in Fellbach-Schmiden.

Das Remstal – das ist auch eine Geschichte des Menschenschlags, der hier lebt. »Menschenschlag« stimmt allerdings nicht, es müsste »Menschenschläge« heißen, so es diese Bezeichnung gäbe. Denn so unterschiedlich das Tal in seiner Landschaft ist, so unterschiedlich sind auch die Charaktere der Menschen, die es bewohnen. Die Ostälbler, also die an der Quelle, beispielsweise sind »koine G'wöhnliche«, wie die Schwaben sagen. Derb – auch in der Sprache, bei der im Übrigen ein Stuttgarter sich schwer tun dürfte, sie überhaupt zu verstehen –, schroff, ja fast abweisend. Fast schon hochdienen muss sich bei denen jeder, der nicht zur zumindest dörflichen Gemeinschaft gehört.

Dann, immer dem Flusslauf folgend, die Gmünder. Nicht umsonst heißt die Stadt »Schwäbisch Nazareth«, denn hier dominierten bis zum Zweiten Weltkrieg eindeutig die Katholiken. Was allerdings Vorteile hat (Nachteile selbstverständlich auch, die sollen hier aber nicht beleuchtet werden): Die »Katholischen« verstanden von jeher zu feiern. Das ist auch in Schwäbisch Gmünd, der früheren Reichsstadt, so. Dieses Naturell hat sich seltsamer- und erfreulicherweise bis in die jüngste Zeit erhalten: In Schwäbisch Gmünd findet einmal im Jahr das größte Guggenmusiktreffen weit und breit statt. Rund 800 aktive Freunde der schrägen Töne bevölkern dann drei Tage lang die Stadt. Alt freilich ist diese Tradition noch

Eine Radtour im Remstal

A cycling tour along the Rems Valley

Une randonnée à bicyclette le long de la vallée de la Rems

nicht. Mitte der Siebzigerjahre war das erste Treffen der Guggenmusiker.

Der krasse Gegensatz: Schorndorf. Hier dominiert – zwar nicht mehr so stark wie früher, aber immer noch – der Pietismus. Jene Strömung in der evangelischen Kirche, die eine sehr konservative ist. Das kann dadurch belegt werden, dass die, die keine Pietisten sind, über die Pietisten sagen: »Die gehen zum Lachen in den Keller« (dort trinken sie, wenn überhaupt, dann auch ein Viertele; damit's keiner sieht). Und es ist noch gar nicht so lange her, dass der neue Pfarrer der katholischen Kirchengemeinde Plüderhausen-Urbach kurz vor seinem Amtsantritt meinte: »Ich bin in die Diaspora geschickt worden.« Je mehr man Richtung Waiblingen kommt, desto stärker ist der Einfluss der Landeshauptstadt Stuttgart zu spüren. Hier werden die traditionellen Strukturen mit den Merkmalen der Groß-

städter und der Großstadt verwässert – man kann sagen, im positiven Sinne. Wobei grundsätzlich gilt: Die Zeiten, in denen Schwäbisch Gmünd rein katholisch und Schorndorf rein evangelisch waren, gehören selbstredend längst der Vergangenheit an. Das liegt ganz sicher auch am positiven Einfluss der Ausländer, die hier leben.

Einen ganz besonderen Menschenschlag gibt es in den Teilen des Remstals, in denen Wein angebaut wird, auch noch: den Wengerter, auf hochdeutsch Weingärtner. Der ist so wie die Rebstöcke, mit denen er das ganze Jahr über zu tun hat: knorrig. Und eigentlich immer am Jammern. Er jammert – in diesem Fall aus verständlichen Gründen –, wenn der Hagel die Trauben vom Rebstock geschlagen hat und die Ernte schlecht ist. Er jammert, wenn das Jahr gut war, er aber wegen der Mengenbeschränkungen nur so

und so viel Hektoliter Wein keltern darf. Die, die im Remstal wohnen, keine Wengerter sind und ihre Pappenheimer kennen, sagen dann: »Und an Weihnachten steht halt wieder der neue Daimler vor der Tür.« Egal, ob das Jahr gut oder schlecht war.

Das Remstal: seine Landschaft, seine Geschichte, die Menschen. Die Vielfalt ist spürbar, wenn man sich erst einmal ein bisschen mit dieser Gegend beschäftigt und sich auf sie einlässt. Sei's beim Spüren auf geschichtlichen Spuren, beim Radfahren oder beim Wandern. Sei's beim Schwätzen mit »de Leut'« oder einfach beim Viertelesschlotzen in einer der vielen »Boizen« oder Besenwirtschaften. Man kann die Eigenheiten des Remstals nur bedingt erklären, man muss vielmehr dieses Fleckchen Erde, das eher ein rund 80 Kilometer langer Streifen in Ost-West-Richtung (und natürlich umgekehrt) ist, einfach erleben.

The Rems Valley

Amidst woodlands, vineyards and cosy little taverns

Before the gates of Stuttgart lies the valley that carries the name of its river, the Rems. Extending about 80 kilometres, it originates east of Schwäbisch Gmünd and flows into the Neckar to the north of Stuttgart. Between Schorndorf and Waiblingen the river valley is particularly a popular area for excursions, be it in spring—during its cherry blossom splendour, or in autumn, when the vines are vibrant with colour. For centuries this has been a region where administrative boundaries meet and replicas of the limes watchtowers as well as old Roman excavations still serve as reminders today. The Rems Valley—not inappropriately also called "Swabian Tuscany"—is the local recreational area for the people of Stuttgart (and others, too), who go hiking in the vineyards or swimming in the lakes, stopping for refreshment in one of the many traditional wine-rooms. Vineyards are characteristic of the part of the Rems Valley, which begins east of Stuttgart and ends near Schorndorf. From there onwards the Rems Valley turns into a landscape of woods and meadows.

The Rems Valley means something different to different people—this is what makes it so diverse. While one person may find pleasure in its natural surroundings in all its varied, yet delightful facets, another is interested in the superb half-timbered buildings of towns such as Schwäbisch Gmünd (where, additionally, you will discover well-preserved patrician houses on the market square), Schorndorf or Waiblingen. Others again think in the first instance of the wine that grows in the Rems Valley. And not an insignificant number of people associate history with this area—justifiably so, for indeed, the origins of the Württemberg rulers were situated in Beutelsbach. And in the close vicinity the origins of the line of rulers known as the Staufer also lie. Their traces are to be found in Lorch Monastery: an imposing construction, which literally reigns from the mountain top, overlooking the river and which is the burial place of a number of the Staufer rulers. Of course, you will also find evidence upon the "Hausberg" or "local mountain"—the Hohenstaufen.

The Rems Valley: For many this begins as you approach Stuttgart, first in Schorndorf, or perhaps already in Plüderhausen. But by this point the river, which is one of the most important in the region, has already covered quite a distance, for it originates at the foot of the Albuch, near the town of Essingen. The source itself is rather unspectacular. The valley begins upon the sparse East Alb, where it is initially wide, calling to mind for many the expansive meadow landscapes of the Allgäu.

Along the upper course a dramatic accent is set by the steeply rising Rosenstein near Heubach. And then, a little further on, the three "Kaiserberge" or "emperor mountains"—the Hohenstaufen, Rechberg und Stuifen, come into view. The first highlight is the Staufer town of Schwäbisch Gmünd, which has a cathedral, built by Peter Parler, with all its naves of the same height (representing the very first Late Gothic church of its kind in Germany) and many other attractions such as the Late Romanic church Johanniskirche with its leaning tower. This church is special in that from its base upwards it is quadrangular but becomes octagonal higher up. Gmünd was regarded as the gold and silver town; however, this shining splendour of former times has gradually paled over the last two centuries. The economic situation has caused the ruin of numerous jewellery works here.

The "hidden" capital of the Rems Valley is Schorndorf, where in 1834 the automobile pioneer Gottlieb Daimler came into the world. The house where he was born is today a museum. Other attractions include the market square with its stately half-timbered houses dating back to the 17th and 18th century, the castle and the Late Gothic town church. Then, hidden away in the heart of the Daimler town, you will first discover them: those typical, cosy little pubs and taverns, endearingly termed "Boiz". You will chance upon them all the more frequently as the river runs its course till it joins the Neckar at Remseck.

In the wine-growing region that begins near Schorndorf there lie some well-known, romantic wine towns such as Strümpfelbach (its town hall, built in 1591; half-timbered houses; the sculpture museum of Fritz and Karl-Ulrich Nuss), Schnait (the church Wendelinskirche, with its carved altar; the Silcher Museum), Beutelsbach (the collegiate church; the Rems Valley wine-cellars), Hebsack (the Protestant church there with its high altar, dating back to 1512), Grunbach or the town of Korb. Here the vineyards, in Swabian "Wengert", have replaced both the meadow and orchard landscape and the fields, or rather, these no longer exist—as a further result of growing industrialisation, the creation of residential areas and the inability of rainwater to infiltrate into the soil due to sealing off of large surface areas through the use of asphalt.

Well-known wines such as Trollinger, Riesling or Silvaner are available everywhere. In recent years newer sorts such as Regent, Zweigelt and Chardonnay have been introduced.

The district town of Waiblingen, seat of the Rems-Murr district administration, offers a medieval townscape with parapets and watchtowers. The churches Nikolauskirche and Michaelskirche bear witness to worldly and ecclesiastical history. Waiblingen has lent both its name and mark not to one, but to two lines of rulers—the Staufer and the Salic Franks. If we are to believe the historiographers of the 12th and 13th century, then two of the emperors of the Salic Franks, Konrad II and Heinrich IV, were both born in Waiblingen.

The Rems Valley, limited to the south by the Schurwald and to the north by the rising mountains of the Swabian-Franconian Forest, offers an idyllic mill-strewn landscape through which the river meanders just before it reaches the Neckar at Remseck. Wide stretches of this area are still completely unspoiled and free of noise pollution. Thus, this part of the Rems Valley is ideal for hiking (the whole valley has about 120 footpaths) and especially for cycling, particularly for those who appreciate peace and calm and despise constant traffic. It is worth mentioning that in the entire Rems Valley more than 800 kilometres of paths are sign-posted for cyclists.

The Rems Valley is considered one of the oldest fruit and wine-growing regions in Baden-Württemberg. Even the Romans valued what the valley had to offer: Near Lorch you will find a reconstructed Limes watchtower, which stands in evidence of the existence of the vassals of Augustus and his successors. They took good advantage of the mild climate for fruit and wine-growing and settled here, as can be seen by the presence of farming estates and potter's works in Rommelshausen and Waiblingen. Here before the Romans were the Celts. Subsequently the latter had to withdraw behind the previously mentioned Limes, nevertheless they also left their mark, for instance in Fellbach-Schmiden.

The Rems Valley—this is also the history of a people living here. However, "of a people" is not the right term, it ought to be "of the different peoples", as it were. For as varied and different the landscape here, so equally is the character of the people who inhabit it. The East Alb inhabitants, that is, those at the river's source, are for example "no ordinary folk" or "koine G'wöhnliche", as the Swabians say. Rough—also of speech (even difficult to understand, by the way, for people from Stuttgart); gruff, indeed almost dismissive. Anyone who does not at least belong to the village community must practically work his or her way up in their esteem!

Then, always following the river's course, you will meet the people of Gmünd. Not without reason this town is called the "Swabian Nazareth", for the Catholic population clearly dominated here up to the 2nd World War. However, this had its advantages

Auch während der Kirschblüte zeigt sich das Remstal von einer wunderschönen Seite.

And when the cherry trees are in blossom, the Rems Valley is a pure delight.

La Vallée de la Rems est magnifique quand les cerisiers sont en fleurs.

(and, of course, disadvantages, too; not, however, to be discussed here): The "Catholics" knew how to celebrate. This is also the case in Schwäbisch Gmünd, former town of the old German Reich. Strangely and happily enough it is an advantage that is still valid today: Here, once a year, there is the biggest meeting far and wide of carnival bands that are known for their special style of music called "Guggenmusik". Around 800 active friends of this "hot music" descend upon the town for three days. Of course, it is not an old tradition here, these meetings only having established themselves in the mid-70s.

In extreme contrast: Schorndorf. Here—though not as strongly as in the past—the Pietists still dominate. The latter represent a very conservative group within the Protestant Church. Proof of this trend can be sought in what others have to say about the Pietists: "They go down into the cellar to laugh" (if at all they drink, this is where, hidden away, they also have their small glass of wine). And it is not so long ago that

the new priest of the Catholic church community of Plüderhausen-Urbach declared just before taking up the position: "I have been sent to the Diaspora."

The closer you draw to Waiblingen, the stronger you will feel the influence of the regional capital—Stuttgart. Here, traditional structures have been watered down—you could say, in a positive sense, by the characteristics generally associated with cities; whereby the basic fact remains: The days when Schwäbisch Gmünd was purely Catholic and Schorndorf purely Protestant obviously belong to the distant past. This is most certainly also due to the foreign citizens who live here.

There exists, furthermore, a very special type of people in the wine-growing parts of the Rems Valley: the wine-growers, known in dialect as the "Wengerter", (Weingärtner). They themselves resemble the vines that are their livelihood: knotty and gnarled, and they are constantly moaning. They moan—understandably in

this case—when hail lashes the grapes from the vines. But they also complain in a good year, for instance on account of restrictions on the amount of wine they are allowed to store. Those who live in the Rems Valley and are not wine-growers but know their sort then simply remark: "You'll see, at Christmas there'll be another new Daimler in the driveway"—whether or not it was a good or bad year.

The Rems Valley: its landscape, its history, its people. Its diversity can be felt, if you just take the time to get to know the region a little and let it work upon you; be it by tracing historical tracks, by cycling or by hiking; be it by chatting with folk here or there or just enjoying a little glass of wine in one of the many pubs or "Boizen", or in special wine-rooms, "Besenwirtschaften", that are only open in season. The special characteristics of the Rems Valley cannot be fully explained. But rather, this little spot of land, that is more like an 80-kilometre strip lying east-west, must simplybe experienced.

La vallée de la Rems

Entre forêts, vignobles et « petits bistrots »

C'est aux portes de Stuttgart que s'étend cette vallée qui doit son nom à la rivière Rems. Longue d'environ 80 kilomètres, celle-ci prend sa source à l'est de Schwäbisch Gmünd et se jette dans le Neckar au nord de Stuttgart. C'est surtout entre Schorndorf et Waiblingen que sa vallée est un but de promenade apprécié, que ce soit au printemps lors de la floraison des cerisiers ou en automne quand le feuillage de la vigne se pare de couleurs resplendissantes.

Pendant des siècles cette région fut un point de jonction entre des frontières administratives; des reconstitutions des tours de guet du limes ainsi que d'anciens vestiges romains en rappellent aujourd'hui encore le souvenir. La vallée de la Rems – ce n'est pas à tort qu'on l'appelle aussi la « Toscane souabe » – est une zone de détente de proximité pour les habitants de Stuttgart (et d'autres) qui viennent s'y promener dans les vignobles, s'y baigner dans les lacs et faire une halte dans les nombreux débits de vin traditionnels. Les vignobles marquent de leur empreinte la partie de la vallée qui commence à l'est de Stuttgart et s'achève près de Schorndorf. A partir de là, la vallée de la Rems se transforme en un paysage de forêts et de prairies.

Chacun associe quelque chose d'autre à cette vallée, ceci est dû à sa diversité. Ainsi l'un appréciera la nature aux aspects changeants au gré des saisons, mais toujours attrayants. Ce qui vient à l'esprit d'un autre, ce sont les superbes villes à colombages comme Schwäbisch Gmünd, où s'ajoutent des maisons patriciennes très bien conservées sur la place du Marché, Schorndorf ou Waiblingen. D'autres par contre vont penser en premier lieu au vin que l'on y produit. Pour nombre d'autres, cette vallée est associée à l'histoire. Non sans raison, car c'est à Beutelsbach qu'est situé le berceau des souverains du Wurtemberg, de même que c'est dans le proche voisinage que se trouve aussi le point de départ de la dynastie des Staufen, que l'on suit dans le couvent de Lorch, cet important bâtiment qui trône véritablement sur une colline surplombant la rivière et qui est le lieu de sépulture de quelques-uns des nobles de Staufen et bien sûr dans leur « château de famille », le Hohenstaufen qui n'est pas très éloigné.

La vallée de la Rems: pour beaucoup la vallée commence en direction de Stuttgart seulement à Schorndorf, ou peut-être déjà à Plüderhausen. Mais à cet endroit la rivière, qui compte parmi les plus importantes de la région, a déjà parcouru une bonne distance. En effet c'est au pied de l'Albuch, à proximité de la localité d'Essingen qu'elle prend sa source, plutôt insignifiante d'ailleurs. La vallée est d'abord large dans son premier parcours dans l'aride partie est du Jura souabe. Sa vue évoque pour certains les vastes paysages de prairies de l'Allgäu. Le Rosenstein qui émerge à pic près de Heubach apporte un accent dramatique dans son cours supérieur. Un peu plus tard apparaissent les « Trois Montagnes impériales » de Hohenstaufen, Rechberg et Stuifen.

Le premier point fort est Schwäbisch Gmünd, la ville des Staufen, avec sa cathédrale, la première église-halle du gothique tardif en Allemagne, construite par Peter Parler, et où il y a aussi beaucoup d'autres choses à voir, comme par exemple l'église romane tardive Saint-Jean, avec sa tour penchée qui a la particularité d'être carrée dans sa partie inférieure pour devenir octogonale dans sa partie supérieure. Schwäbisch Gmünd passait pour être la ville de l'or et de l'argent, mais l'éclat d'antan n'a cessé de se ternir au cours des deux dernières décennies. La situation économique a donné le coup de grâce aux nombreuses fabriques de bijoux.

La capitale cachée de la vallée est Schorndorf, où le pionnier de l'automobile, Gottlieb Daimler, a vu le jour en 1834. A côté de sa maison natale qui est aujourd'hui un musée, on peut y découvrir aussi la place du Marché avec d'imposantes maisons à colombages des 17e et 18e siècles, le château ainsi que l'église paroissiale datant du gothique tardif. Cachés au cœur de la ville natale de M. Daimler, c'est là qu'on les trouve pour la première fois, les petits troquets intimes que l'on appelle aussi affectueusement « Boiz ». On va les retrouver toujours plus souvent tout au long du cours de la rivière jusqu'à Remseck où elle rejoint le Neckar.

Dans la région du vignoble qui commence près de Schorndorf se trouvent quelques villages viticoles romantiques bien connus comme Strümpfelbach (hôtel de ville de 1591, maisons à colombages, musée de la sculpture de Fritz et Karl-Ulrich Nuss), Schnait (église Saint-Wendelin avec son autel en bois sculpté, le musée Silcher), Beutelsbach (église paroissiale et domaine viticole du Remstal), Hebsack (église protestante avec un maître-autel de 1512), Grunbach ou Korb. Les vignobles, en souabe « Wengert », ont ici pris le pas sur les paysages de prairies et de vergers et sur les champs; plus exactement il n'y en a plus. Ceci est aussi une conséquence de l'industrialisation croissante, de la création de zones d'habitat avec la chape de béton apposée sur le paysage qui en découle. Des cépages connus comme les Trollinger, Riesling et Silvaner se rencontrent à chaque pas, à côté desquels on a introduit ces dernières années de nouvelles variétés comme les Regent, Zweigelt et Chardonnay.

Le chef-lieu du Kreis, Waiblingen, siège de l'administration du Kreis de Rems-Murr présente l'image d'une ville médiévale avec des chemins de ronde et des tours de guet. Les églises Saint-Nicolas et Saint-Michel sont des témoins de son histoire séculière et religieuse. Waiblingen a donné son empreinte et son nom à deux dynasties impériales, les Staufen et les Saliens. Si l'on accorde crédit à ceux qui ont écrit l'histoire des 12e et 13e siècles, les empereurs saliens Konrad II et Heinrich IV seraient nés à Waiblingen.

Limitée sur son côté sud par le Schurwald, sur le côté nord par le début des monts du Schwäbisch-Fränkische Wald, la vallée offre, peu avant que la rivière se jette dans le Neckar près de Remseck, un charmant paysage fait de méandres et de moulins. Sur de longs tronçons elle est encore à l'état naturel et préservée du bruit. Pour qui aime la tranquilité et a horreur d'une circulation intense en sens inverse, c'est l'idéal pour se promener grâce aux 120 sentiers de promenade existant dans l'ensemble de la vallée, et tout particulièrement pour faire du vélo.